TARJETA POSTAL

ESTE ESPACIO PUEDE SER UTILIZADO
PARA TEXTO ESCRITO O IMPRESO

Para
Oleander Gravett
(porque te quiero)
y los amigos alfareros
(porque lo prometí)

X X X

Título original: *Wolves* D.R. © 2005, Emily Gravett
Texto e ilustraciones Castillo por acuerdo con
Editado por Ediciones Castillo, Londres N1 9RR, Inglaterra.
Macmillan Children's Books,

CASTILLO
Primera edición: octubre de 2008

SEGUNDA REIMPRESIÓN: agosto de 2011
D.R. © 2008, Ediciones Castillo S.A. de C.V.
Insurgentes Sur 1886, Col. Florida,
Del. Álvaro Obregón,
C.P. 01030, México, D.F.

Ediciones Castillo forma parte del Grupo Macmillan

www.grupomacmillan.com
www.edicionesmacmillan.com
infocastillo@grupomacmillan.com
Lada sin costo: 01 800 536 1777

ISBN: 978-970-20-1306-8

Impreso en Tailandia/*Printed in Thailand*

LOBOS

¡NUEVO!
¡ENCUÉNTRALO EN TU BIBLIOTECA!

LOBOS

Emiliebre Gravett

¡Solicita LOBOS y muchas otras aventuras desgarradoras en tu biblioteca!

Castillo de la lectura

Conejo fue a la biblioteca.
Escogió un libro sobre…

LOBOS

Teléfono 0123 43210

Cerro Dos Conejos: Biblioteca Pública al Aire Liebre

Favor de regresar o renovar antes o en la fecha que indica el sello.
Si el libro se devuelve después de esta fecha, se cobrará una multa.

03 / 07 / 1991

12 / 06 / 1992   26 / 04 / 1997

02 / 10 / 1992   09 / 03 / 2002

07 / 12 / 1993   07 / 10 / 1997

29 / 05 / 1994   08 / 05 / 2002

17 / 06 / 1995   14 / 02 / 1998   10 / 05 / 2003

17 / 03 / 2004

20 / 06 / 1995   28 / 07 / 1998

04 / 04 / 2004

20 / 11 / 1996   22 / 09 / 2000   12 / 02 / 2005

14 / 02 / 1997   09 / 08 / 2005

24 / 09 / 2005

20 / 06 / 2008

Los lobos grises viven en manadas de dos a diez individuos.

Pueden vivir casi en cualquier lugar:
desde el círculo polar…

... hasta los alrededores de pueblos y ciudades.

En algunas áreas, los lobos se refugian
en lugares menos poblados, como bosques
y reservas ecológicas.

Tienen garras afiladas…

… colas tupidas…

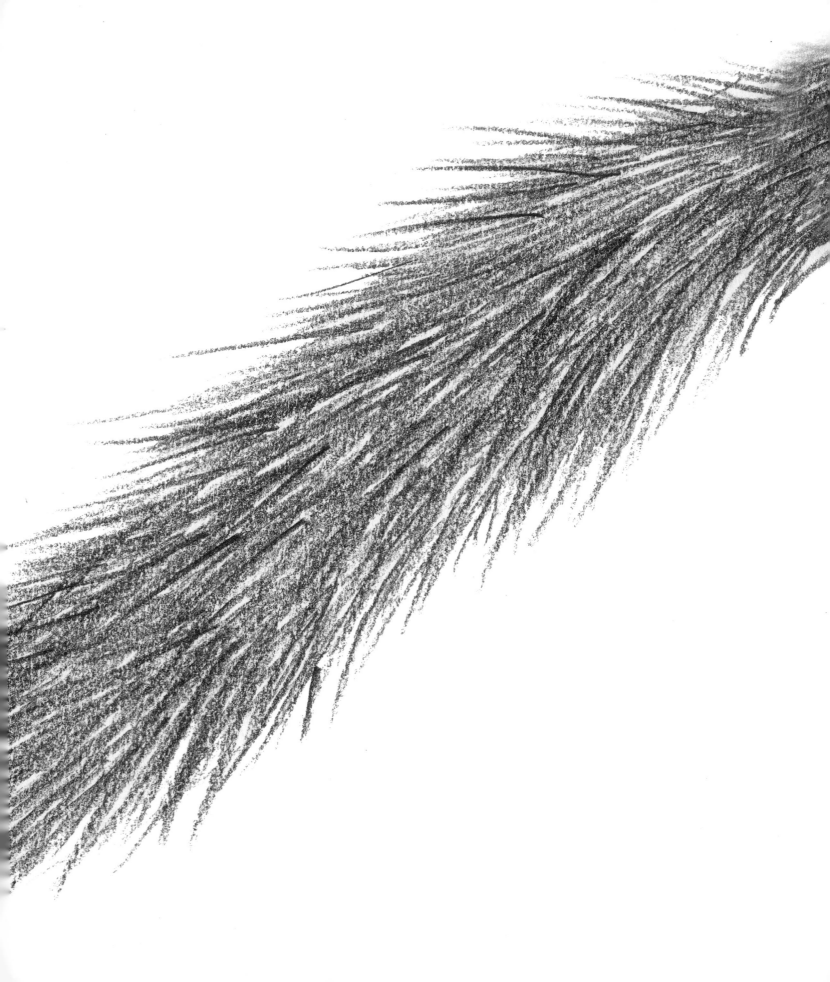

... y pelaje abundante, lleno de pulgas y chinches.

Un lobo adulto tiene 42 dientes.
Su mandíbula es dos veces más fuerte
que la de un perro de gran tamaño.

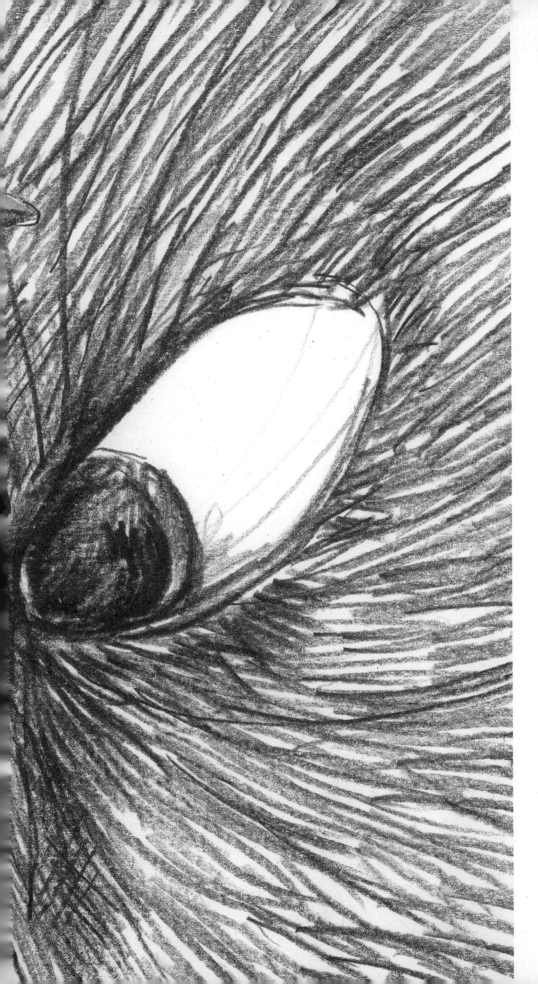

Los lobos comen
animales grandes,
como venados,
bisontes y alces.

También les gustan
algunos mamíferos
pequeños, como
castores, ratas de
campo y...

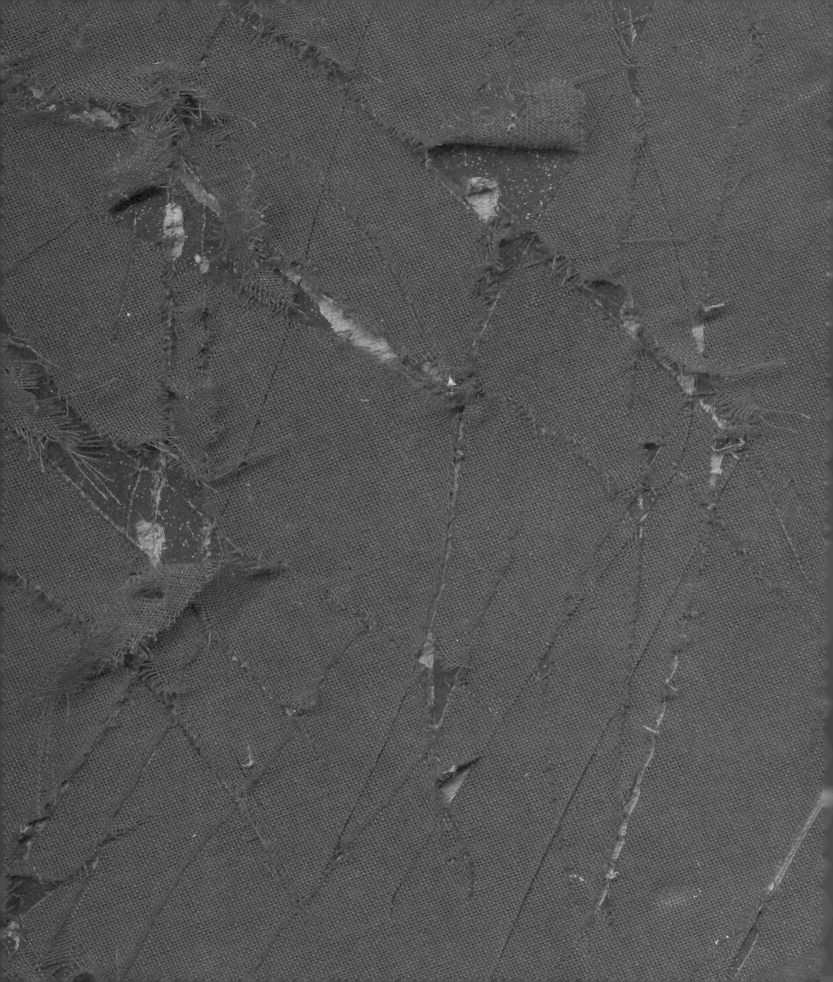

... conejos.

La autora desea señalar que ningún conejo
fue devorado durante la elaboración de este libro.
Ésta es una obra de ficción, así que, para los lectores
más sensibles, aquí hay un final alternativo.

Por suerte, este lobo era vegetariano y decidió compartir su sándwich de mermelada con el conejo. Entonces se hicieron mejores amigos y vivieron felices para siempre.